D0243453

Ce livre appartient à

....

offert par :

....

reçu le :

....

RETROUVEZ Les frousses de Zoé DANS LA BIBLIOTHÈQUE ROSE

L'abominable petite fille des neiges

Mon papy s'appelle Barbe-Bleue

Les ogres du centre commercial

Le métro de l'horreur

Zoé contre Zoé

Le dentiste est un vampire

La sorcière est dans l'école

Le fantôme du panier à linge

Le Père Noël est un extraterrestre

Le squelette connaît la musique

L'île du docteur Morora

Un requin dans la piscine

Gudule

Les frousses de Zoé

Un requin dans la piscine

Illustrations de Jean-François Dumont

HACHETTE

Hachette Livre, 43, quai de Grenelle, 75015 Paris.

Chapitre 1

Le premier jeudi du mois

Peut-être qu'en approchant le thermomètre de l'ampoule, ça le fera monter ? Ou alors, en le trempant dans de la tisane chaude ?

Pour l'instant, il est dans ma bouche. C'est maman qui l'y a mis. Elle emploie ce système pour essayer de me piéger. Chaque fois que je ne me sens pas très bien, hop ! j'y ai droit.

L'ennui, c'est qu'aujourd'hui, il n'a aucune chance de dépasser les 37 degrés réglementaires. Normal, je suis en bonne santé. Ma maladie n'est pas un microbe qui donne de la fièvre, mais quelque chose de beaucoup plus grave. Quelque chose que les parents ne peuvent pas comprendre... Alors, je n'ai pas le choix : si je veux rester à la maison, je suis bien obligée de faire semblant d'être patraque !

Ce n'est vraiment pas sympa de la part de maman d'avoir plus confiance en un tube de mercure qu'en sa fille ! Moi, quand je serai grande, je croirai toujours mes enfants, même s'ils disent des mensonges !

« Où as-tu mal, mon p'tit pot-au-feu ? » demande papa, entrant en trombe dans ma chambre.

Je prends mon air de « vieux cheval fourbu », comme dans le poème qu'on apprend en ce moment en classe :

Le vieux cheval fourbu
S'avance en titubant,
L'œil vitreux,
Le naseau ourlé d'écume blanche,
Et son échine ploie
Sous la charge des ans...

« À la gorge, p'pa... Et aussi au ventre... Et puis, j'ai envie de vomir... Et puis... »

L'arrivée de maman m'interrompt. Sans un mot, elle me retire le thermomètre de la bouche, le consulte, et fronce les sourcils :

« C'est bien ce que je pensais... Allons, debout, Zoé !

— Tu es sûre, chérie ? intervient papa. Elle commence peut-être une grippe, ou une angine ? Il y a des tas de virus qui circulent, en ce moment...

— On est le premier jeudi du mois », répond maman, imperturbable.

Papa ouvre de grands yeux derrière ses lunettes.

« Et alors ?

— Alors, c'est jour de piscine... »

Sous son regard perçant, je me ratatine. Le problème, avec ma mère, c'est qu'elle devine toujours tout. À croire qu'elle lit dans mes pensées comme dans un livre ouvert !

« Finie la comédie, mademoiselle ! lance-t-elle sévèrement. Dépêche-toi de t'habiller, et n'oublie pas de mettre ton maillot de bain sous tes vêtements ! »

À contrecœur, j'obéis. Je déteste aller à la piscine. Je n'ai jamais compris quel plaisir on pouvait trouver à barboter dans de l'eau à moitié froide, qui pue le chlore, et où tout le monde fait pipi.

En plus, mon maillot de bain est ridicule. Franchement, du rose fluo avec *Minnie* dessus, à quoi ça ressemble ? Les garçons se moquent de moi chaque fois que je le porte, et ma copine Laurence — qui, elle, a un maillot de compétition noir avec deux bandes blanches — me traite de « Disneyland ».

Si j'osais, je le déchirerais bien, moi, ce maillot de bain ! Maman serait obligée de m'en racheter un autre...

Enfin, de toute façon ça ne changerait pas grand-chose. Parce que le pire, ce n'est pas ça. Le pire, c'est que j'ai peur de boire la tasse.

Si encore la maîtresse nous laissait faire ce qu'on veut, je resterais tranquillement dans la petite profondeur.

Mais elle nous oblige à nager, et surtout à sauter du bord. Brrr !... rien que d'y penser, j'en ai la chair de poule ! La dernière fois, comme je n'arrivais pas à me décider, Cédric m'a poussée. Ma bouche, mon nez et mes oreilles se sont tellement remplis d'eau que, j'en suis sûre, le niveau de la piscine a baissé de plusieurs centimètres. J'ai dû en avaler un litre, au moins !

« Alors, Zoé, c'est pour aujourd'hui ou pour demain ? me crie maman, d'en bas. Ton chocolat refroidit, et tu vas encore être en retard à l'école ! »

Lorsque j'arrive dans la cuisine, Rémi, mon frère aîné, termine son petit déjeuner.

« Salut, la traînarde ! » me jette-t-il en rigolant.

Il a une drôle d'allure, Rémi. Chez lui, tout n'a pas grandi à la même vitesse. Résultat : une tête minuscule, des bras trois fois trop longs, et des jambes interminables avec d'énormes pieds au bout. Il paraît que la plupart des adolescents sont pareils, mais que ça s'arrange avec le temps. Je l'espère pour lui, sinon, plus tard, le seul métier qu'il pourra exercer, c'est clown dans un cirque !

Je m'installe à table sans répondre. Ce matin, je suis de si mauvaise humeur que même l'odeur du chocolat chaud n'arrive pas à me réconforter !

« C'est la piscine qui te met dans cet état ? pouffe Rémi. Tu as la frousse de l'eau, Zoé-la-Trouille ? »

Qu'est-ce qu'ils ont tous à me surnommer Zoé-la-Trouille ? Je ne suis pas plus peureuse que n'importe qui ! Méfiante, oui, mais pas peureuse. Ça ne vous arrive jamais, vous, d'imaginer qu'il y a un ogre affamé sous votre lit, un fantôme dans le placard ou des petits démons cornus cachés dans le tiroir à chaussettes ?

Moi, si.

À part ça, j'ai dix ans, des cheveux carottes-râpées, des yeux vert persil, et même — enfin, mon frère le prétend ! — un teint de navet et des oreilles en feuilles de chou. Bref, je suis une vraie jardinière de légumes à moi toute seule !

Je hausse les épaules avec agacement.

« Mais non, je n'ai pas la frousse, espèce d'andouille ! Je n'aime pas mouiller ma figure, c'est tout ! Ça me donne des boutons !

— Tu veux un conseil ? me glisse Rémi en empoignant son sac à dos. Cache-toi dans les toilettes sans te faire remarquer, et puis une fois qu'il n'y aura plus personne dans le ves-

tiaire, file sous la douche. Et restes-y pendant toute l'heure, en faisant semblant de te laver. Une bonne douche bien chaude, c'est plus sympa que de se geler dans l'eau glacée, non ? »

Ce n'est pas bête, ça, comme idée... Je retrouve illico mon sourire.

« Merci, frangin !

— Pas de quoi, c'est gratuit ! »

Au même moment, un jappement insistant retentit sous la table.

« Hot-dog ! Bonjour, mon petit chien ! Tu viens me faire un gros câlin ? »

Hot-dog est un teckel, une vraie saucisse à pattes. Mais question tendresse, il bat tous les records. C'est mon meilleur ami, et le membre de ma famille que je préfère.

Tout frétillant, il saute sur mes genoux. Lui et moi, on a mille manières de se montrer qu'on s'adore. Il me mordille le nez, couine sur tous les tons, me donne de grands coups de langue derrière les oreilles. Je l'embrasse sur la truffe, j'ébouriffe ses poils...

« Zoé, déjeune donc au lieu de t'amuser avec le chien ! me houspille maman, en réapparaissant, son manteau sur le dos. Tu as vu l'heure ? »

Docilement, je dépose Hot-dog par terre et je replonge dans mon bol. Où se trouvent-elles, déjà, les toilettes de la piscine ?

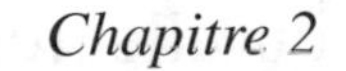
Chapitre 2

De l'eau rouge, toute rouge !

« Qu'est-ce que tu fiches là, toi ? On te cherche partout ! » s'écrie Mme Lenoir, en surgissant comme une folle dans les douches.

Mme Lenoir, c'est la maîtresse. Je ne l'aime pas beaucoup. Avec son air sévère et ses sourcils froncés, je trouve qu'elle ressemble à une sorcière. Son nom lui va comme un gant, car elle s'habille toujours de cette couleur. Là, elle porte un maillot noir et un bonnet de bain hérissé de piquants en caoutchouc. On dirait qu'elle s'est mis un hérisson sur la tête.

Je me ratatine tant que je peux sous le jet tiède. Bravo, Rémi ! Non seulement son plan ne marche pas, mais en plus, je me fais enguirlander à cause de lui !

D'une voix mal assurée, je réponds :

« Euh !... J'avais un peu froid, m'dame... Alors je suis venue me réchauffer...

— Évidemment que tu as froid ! C'est chaque fois la même chose : au lieu de jouer avec tes camarades, tu restes plantée sur le bord à grelotter ! »

Elle m'attrape par le bras et me tire vers l'escalier qui mène au bassin.

« Je vais m'occuper de toi, moi ! Et je te promets que tu vas te remuer ! »

Hou là, je n'aime pas du tout ce genre de menace !

En bas, les copains nagent comme de vrais poissons. À croire que l'eau est leur élément naturel, et qu'ils ont des nageoires à la place des bras ! Laurence et Marion se poursuivent en riant. Le gros Benoît fait la planche, et seuls le bout de son nez et son ventre rebondi émergent à la surface. Thomas, qui a apporté son masque et ses palmes, se prend pour un explorateur sous-marin. Mathieu, debout sur le plongeoir, crie à qui veut l'entendre qu'il est le roi du saut périlleux. Sylvain crawle comme les sportifs des Jeux olympiques.

Et le pire, c'est qu'ils s'amusent !

« Allez, zou ! va les rejoindre ! » m'ordonne la maîtresse.

Les rejoindre ? Au milieu des remous et des éclaboussures ?

J'étouffe un soupir et, le plus lentement possible, je me dirige vers la petite échelle qui descend dans l'eau. Mais Mme Lenoir m'arrête.

« Non, pas comme ça, Zoé ! Tu sautes ! »

À cette idée, mes jambes se mettent à flageoler.

« Oh, m'dame, s'il vous plaît...

— Un peu de courage, voyons ! Montre-nous que tu n'es pas une mauviette ! »

Mme Lenoir est du genre plutôt brusque. Joignant le geste à la parole, elle me bouscule et je perds l'équilibre. Avec un hurlement, je bascule dans le vide.

La chute dure longtemps, très longtemps, comme dans les cauchemars. J'ai l'impression de tomber au ralenti.

Puis c'est le contact glacé avec la surface, l'immense gerbe d'écume qui s'élève. Et le monde du silence.

L'élément liquide m'enveloppe. Aspirée vers le bas, je m'enfonce. Mes cheveux, qui flottent mollement autour de ma tête, ressemblent à des algues orange. De ma bouche s'échappe un chapelet de bulles... Je suffoque !!

Au secours, je vais me noyer !

Inutile de paniquer, ce n'est que de l'eau, après tout ! Lorsque j'aurai atteint le fond, il me suffira de frapper le sol du talon pour remonter en flèche !

Mais que le fond est loin ! Je ne me doutais pas que c'était aussi profond, une piscine !

Soudain, une ombre immense passe au-dessus de moi. L'espace d'un instant, tout s'obscurcit. Puis l'ombre s'éloigne en zigzag, créant un tourbillon qui m'entraîne dans son sillage.

Qu'est-ce que c'est que ça ?

Déjà, l'ombre revient. Une longue masse noire, un ventre blanc, des ailerons...

UN REQUIN !

Non, c'est impossible... Il n'y a pas de requins dans les piscines !

Une peur horrible me saisit. J'agite frénétiquement bras et jambes pour tenter d'échapper au monstre. Peine perdue ! Son œil cruel m'a repérée.

Il s'approche. Ses dents — d'énormes pics blancs, acérés comme des lames de rasoir — cherchent à me happer.

J'essaie de crier, mais tout ce que j'arrive à produire, c'est une grosse bulle contenant mes dernières réserves d'oxygène, qui remonte lentement crever à la surface.

Dans un ultime effort, je m'écarte de quelques mètres. Mais mes forces me trahissent, je manque d'air. Mes tempes sont comprimées dans un étau, ma gorge me brûle. Avant de m'évanouir, j'ai juste le temps de voir le requin foncer sur moi, la mâchoire grande ouverte.

Puis je ressens une atroce douleur à la jambe. Et une voix d'enfant s'écrie dans le lointain :

« Oh, regardez, m'dame ! L'eau de la piscine est toute rouge ! »

Chapitre 3

Dans le repaire du pirate

La première chose que j'aperçois, en ouvrant les yeux, c'est le plafond au-dessus de moi. Un plafond voûté et rocheux comme celui d'une grotte. Il fait très sombre, et durant un long moment, je reste à le fixer sans bouger, en me demandant où se trouve l'ampoule électrique. Puis, peu à peu, je reprends contact avec la réalité, et la mémoire me revient.

La piscine, le requin ! Mon Dieu, quel affreux cauchemar ! Jamais, de toute ma vie, je n'ai eu aussi peur ! Il était temps que je m'éveille...

D'un geste instinctif, j'étends la main à la recherche de mon chien. Je ne me rappelle plus s'il a dormi avec moi, la nuit dernière. Maman me le défend, en général. Elle dit que ce n'est pas hygiénique. Mais je désobéis le plus souvent possible : Hot-dog est le meilleur remède anti-trouille que je connaisse. Et j'ai un peu tendance à me raconter des histoires horribles, le soir, quand je suis seule dans mon lit...

Ça alors ! Au lieu du pelage tiède, du matelas, de l'oreiller, je ne rencontre qu'une surface râpeuse et froide, qui glisse entre mes doigts. On dirait du... du sable !

Je rêve encore ou quoi ?

En frissonnant, je ramène ma couette sur mes épaules.

Ma couette ?

Drôle de couette : c'est un vieux bout de sac qui gratte et qui sent le poisson !

Du coup, je m'assieds, bien réveillée cette fois. Un élancement dans la jambe droite m'arrache un cri.

« Aïe, ça fait mal ! Qu'est-ce que j'ai ? »

Avec précaution, je tâte ma cuisse, mon genou, mon... mon... Hein ? !

Sous ma paume, je sens quelque chose de rugueux qui n'a rien à voir avec de la chair. Ni même avec un pansement. Qu'est-ce que... ?

Nom d'une cacahuète en caleçon, j'ai la jambe dans le plâtre ! Mais alors... ?

La tête pleine de questions, je

repousse ce qui me sert de couverture. Et là... là...

Une décharge électrique me traverse le corps. J'ouvre la bouche toute grande pour hurler d'horreur, mais aucun son n'en sort. L'épouvante m'a rendue muette.

« Alors, on ne dort plus ? » ricane une voix derrière moi.

Je ne sursaute pas. Je ne me retourne pas non plus. Ce qu'il y a sous la couverture m'hypnotise à tel point que même la fin du monde ne me ferait aucun effet !

« Sacré choc, hein ? poursuit la voix. T'en fais pas, moussaillonne, je suis passé par là. On s'y habitue très vite ! »

Un drôle de bruit accompagne sa démarche, tac, tac, tac, mais je n'y prête aucune attention. Je regarde ma jambe. Enfin, ce qu'il en reste. MA DEMI-JAMBE.

Je n'ai plus ni pied, ni cheville, ni mollet. À la place, il y a juste un morceau de bois attaché à ma cuisse par des lanières de cuir.

Tac, tac, tac. Le visiteur se place face à moi.

« Je t'ai prêté un de mes vieux pilons, explique-t-il, avec son agaçant petit ricanement. En le raccourcissant un peu, évidemment... Comme ça, au moins, tu pourras marcher ! »

Quel étrange bonhomme ! Vieux, édenté, borgne et laid à faire peur, il semble sorti tout droit des pages de *L'Île au trésor*. De son tricorne noir s'échappent de longues mèches de cheveux grises et grasses. Une chemise en lambeaux, les restes d'un pantalon corsaire et une unique chaussure à boucle complètent sa tenue. Sur son épaule caquette un perroquet qui me fixe d'un œil rond vide d'expression.

Devant cette effarante apparition, je retrouve l'usage de la parole.

« Qui... Qui êtes-vous ? Où suis-je ? Que m'est-il arrivé ?

— Une question à la fois, s'il te plaît ! »

Il s'incline d'un air cérémonieux :

« Je me présente, Cap'tain Frog, pirate de son état et échoué depuis près de vingt ans sur cette île déserte ! »

Puis, désignant le perroquet :

« Et lui, c'est Kwak, mon fidèle compagnon. »

L'ahurissement me fait oublier, une fraction de seconde, ma terrible mutilation.

« Un pirate... ? Une île déserte... ? Mais... qu'est-ce que je fais ici ?

— Je t'ai trouvée évanouie sur la

plage, il y a au moins une semaine. Tu étais dans un sale état ! Une cochonnerie de requin t'avait croqué la jambe, et j'ai bien cru que tu n'y survivrais pas. Heureusement, je connais quelques bonnes recettes pour cicatriser les blessures... Tu peux me remercier, moussaillonne : sans moi, tu serais passée de vie à trépas avant même de t'en être rendu compte !

— Mais... comment suis-je arrivée là ?

— Je suppose que ton bateau a fait naufrage... »

Ça alors... Je ne comprends rien de rien à ce qu'il raconte !

« Quel bateau ? J'étais dans la piscine avec Mme Lenoir, elle m'a forcée à sauter et... et... »

L'effroyable souvenir me remonte comme une nausée. Aïe, aïe, aïe ! il va falloir que ça sorte d'une manière ou d'une autre. Qu'est-ce que je fais, je vomis ou je fonds en larmes ?

Par politesse, j'opte pour la seconde solution :

« Oh ! ma jambe... ma pauvre jambe...

— Inutile de pleurnicher, moussaillonne, ça ne fera pas repousser ta guibolle ! » s'exclame Cap'tain Frog avec une désinvolture révoltante.

Celui-là, alors, il est gonflé ! Est-ce comme ça qu'on s'adresse à une grande blessée ?

À pleine voix, je proteste :

« Mais j'ai maaaal !

— Pffftt ! Un peu de cran, que diable ! Même si ça te chatouille encore, dis-toi bien que le plus dur est passé. »

Il s'éloigne en boitant, farfouille dans un coin de la grotte, et ramène un tas de chiffons qu'il me jette négligemment.

« Allons, habille-toi, je vais te faire visiter notre domaine ! »

S'il s'imagine que je vais lui obéir, ce grand affreux, il se fait des illusions !

Mes larmes redoublent. Je pense à papa, à maman, à Hot-dog. À Rémi...

Je donnerais n'importe quoi pour être près d'eux, en ce moment. Quand je vois de quelle manière ils me dorlotent pour le moindre bobo, alors pour une jambe en moins...

Hot-dog, mon chien chéri, tu me manques... Je suis la fille la plus malheureuse de la terre !

« Crouik... ? »

Dans un frôlement de plumes, Kwak a sauté de l'épaule de son maître et se dandine sur le sable, près de moi. La tête de côté, il m'observe avec attention, en produisant des sons très doux. Ça me console un tout petit peu.

Sous ma caresse, il s'ébroue.

« Oh !... Qu'est-ce qui t'est arrivé, mon pauvre Kwak ? »

Le perroquet aussi est infirme. Il ne lui reste que des petits moignons d'ailes.

« J'ai rogné ses plumes pour l'empêcher de voler », me lance Cap'tain Frog avant de disparaître.

Nous nous regardons, Kwak et moi. Nous nous comprenons sans rien dire. Je lui ouvre les bras, il s'y blottit. Son gros bec me picore le lobe de l'oreille.

En reniflant, je lui glisse :

« C'est pas la joie, hein !... Je ne sais pas encore ce qui nous attend, mais à mon avis, on va avoir intérêt à s'entraider !

— Croc, klouk... », répond l'intéressé.

Puis sans que rien l'ait laissé prévoir :

« Crrrr... Debout, moussaillôôônne ! » crie-t-il d'une voix éraillée. La même voix, exactement, que celle de son maître.

Malgré ma détresse, je ne peux m'empêcher de sourire.

Pas facile de marcher avec une jambe de bois ! C'est presque aussi compliqué qu'avec des échasses !

Au début de l'année scolaire, Mme Lenoir...

Une bouffée de colère m'envahit. Ah, celle-là, je la retiens ! Si j'arrive un jour à sortir d'ici, elle va m'entendre ! Être institutrice, ça ne vous donne pas tous les droits, quand même ! En tout cas, pas celui de jeter ses élèves à l'eau ! !

Donc, au début de l'année, Mme Lenoir avait ramené des échasses de ses vacances dans les Landes. On les a essayées, à la récré. Quelle partie de rigolade ! Tout le monde, sans exception, s'est cassé la figure.

« Simple question d'habitude, a expliqué la maîtresse. Les bergers landais sont aussi à l'aise là-dessus que sur la terre ferme. Ils les gardent même pour danser ! »

Si les bergers y parviennent, pourquoi pas moi ?

Déjà, tenir en équilibre n'est pas une mince affaire. Alors, marcher... Je suis obligée de m'y reprendre à plusieurs fois. La jambe de bois est lourde, je dois faire un gros effort pour la soulever. En plus, je me sens toute faible... C'est vrai qu'il y a plus d'une semaine que je n'ai rien mangé !

« Crrrr... Courage, moussaillô-ôônne ! » piaille Kwak, en claudiquant autour de moi.

Lui aussi a du mal à se mouvoir : ses pattes, avec leurs doigts recourbés et leurs longues griffes, sont prévues pour s'agripper aux branches, pas pour se poser à plat sur le sol. Chaque pas le fait affreusement souffrir. Mentalement, je maudis la cruauté de Cap'tain Frog.

« Une, deux... Une, deux... »

Mes progrès m'étonnent moi-même. Bientôt, je suis capable de faire le tour de la grotte sans trébucher. Je n'avance pas très vite, bien sûr, mais au moins, je peux me déplacer.

Un rayon de soleil pénètre par une ouverture dans la roche. Il doit faire beau, dehors.

« Tu viens, Kwak ? On va prendre l'air... »

Du bec, le perroquet me montre la pile d'habits qui traîne par terre.

« Toi aussi, tu veux que je mette ça ? »

C'est vrai qu'avec mon maillot rose fluo déchiré et plein de sang, je n'ai pas fière allure. Voyons voir ces vêtements...

Chemise blanche, pantalon noir

effrangé, tricorne usé jusqu'à la corde... Un déguisement de corsaire !

Tout ça est un peu grand — surtout le chapeau, qui me descend jusqu'aux yeux ! — mais quand même portable. Quelques instants plus tard, transformée en héroïne d'un film de pirates, je sors de la caverne, le perroquet perché sur mon épaule.

Chapitre 4

Esclave !

La lumière est si éblouissante que je cligne les yeux.

Je suis dans une crique de sable fin, bordée de falaises. À perte de vue s'étend une mer immense, d'un bleu presque phosphorescent, dont les vagues viennent mourir sur la plage, à mes pieds. C'est d'une beauté à vous couper le souffle !

Un vol de mouettes passe dans le ciel en piaillant, et se pose sur les rochers.

La voix du Cap'tain Frog me parvient d'en haut, portée par le vent :

« Ça y est, moussaillonne ? Tu es prête ? »

Je mets ma main en visière pour tenter de l'apercevoir. Sa minuscule silhouette gesticule au sommet de la falaise.

« Viens vite me rejoindre, il y a un petit sentier qui monte, sur ta droite. »

Le rejoindre ? Il en a de bonnes, lui ! J'arrive à peine à progresser sur terrain plat, et il voudrait que je fasse de l'escalade ? Ça va pas, la tête ?

« J'ai quelque chose d'extraordinaire à te montrer ! »

Nom d'un ver de terre en tutu, s'il me prend par mon point faible !

Mon principal défaut, c'est la curiosité. Tout m'intéresse, tout m'intrigue ; le moindre mystère, la plus petite énigme me font bondir d'excitation. Je n'ai jamais compris pourquoi on ne me surnommait pas Zoé-la-Curieuse. Ce serait bien plus juste que Zoé-la-Trouille !

« Bon, j'arrive ! »

Mais le chemin est escarpé, et ma jambe de bois dérape sur les cailloux. Au bout de quelques mètres, je m'arrête, épuisée.

« Eh bien ? s'impatiente Cap'tain Frog. Je t'attends, qu'est-ce que tu fabriques ? »

Je ne lui réponds pas. Assise sur une grosse pierre, je sanglote. Tout à l'heure, je n'avais pas encore les idées bien en place. Ce handicap, je n'y croyais pas vraiment, ça avait l'air d'une mauvaise plaisanterie. C'est seulement maintenant que je réalise.

Ma vie est fichue : plus jamais je ne pourrai courir, sauter, faire des pirouettes...

Tac, tac, tac. Le pas de Cap'tain Frog se rapproche de moi.

« Encore en train de larmoyer ? s'écrie-t-il. Ma parole, tu n'es pas une petite fille, toi, tu es une fontaine ! »

Entre deux hoquets, je gémis :

« Je... je ne suis même plus capable... de... de faire trois m... mètres... sans me casser la fi... figure...

— Allons, monte sur mon dos ! »

Il se baisse. Tant bien que mal, je m'agrippe à son cou. Puis l'ascension commence.

Le vieux pirate est d'une surprenante rapidité. Sans le claquement de son pilon sur la roche, on croirait presque qu'il a deux jambes normales !

« Tu vois, m'explique-t-il tout en

grimpant, avec un peu d'entraînement, on se débrouille très bien ! »

Il éclate de son vilain petit rire grinçant, puis ajoute :

« De toute façon, pour ce que tu vas avoir à faire, il n'y a pas besoin d'être très agile ! »

Le sommet de la falaise est bientôt atteint. De là-haut, on aperçoit toute l'île : un rocher minuscule au milieu de l'immensité de l'océan. C'est très impressionnant !

« Euh !... Il n'y a personne d'autre que nous, ici ?

— Personne, moussaillonne. Sauf les mouettes et les goélands... Charmante compagnie, n'est-ce pas ? »

Je prends Kwak à témoin :

« Ben dis donc... Ça ne fait pas beaucoup de monde !

— Tu es le premier humain que je vois en vingt ans ! précise Cap'tain Frog.

— Et... comment est-ce que vous vivez ? Qu'est-ce que vous mangez ?

— Oh, pour ça, n'aie pas d'inquiétudes, moussaillonne : j'ai eu le temps de m'organiser ! Mon garde-manger est plein ! La mer regorge de poissons et de crustacés, la mouette rôtie est délicieuse, j'ai creusé une citerne qui recueille l'eau de pluie. Et j'ai même récupéré quelques tonneaux de rhum, échoués sur la plage après un naufrage. Quant à la conversation... »

Sa grande paume se pose sans ménagement sur Kwak :

« ... depuis que j'ai appris à ce volatile à parler, il me tient compagnie.

— Crrr... Larrrguez les amarrres ! » approuve le perroquet.

Cap'tain Frog a de nouveau son agaçant petit rire.

« Par contre, ce qui me manque, c'est un esclave... »

Je fais un bond d'au moins un kilomètre de haut :

« Un quoi ?

— Tu as très bien entendu : un esclave qui m'obéisse sans rechigner, sans poser de questions... et qui sache nager. C'est tout à fait ton portrait, ça, non ? »

Impossible de décrire la colère qui bouillonne en moi. C'est tout juste si la vapeur ne me sort pas du nez et des oreilles !

« Moi, votre esclave ? Mais vous êtes tombé sur la tête, ma parole ! Déjà que, la moitié du temps, je n'obéis pas à mes parents, ni à ma mamie, ni à mon institutrice, alors à vous ! ! Un type que je ne connais pas, qui n'est même pas de ma famille ! »

Le petit rire du pirate redouble.

« Très bien... Alors, tant pis pour toi, je vais te laisser mourir de faim... Viens, Kwak, on redescend ! »

Sous mon regard médusé, il récupère son perroquet par la peau du cou — Kwak n'a pas l'air vraiment d'accord, mais on ne lui demande pas son avis ! — et s'éloigne, en chantonnant :

Sur le coffre du mort
Il y avait quatre matelots
Qui s'partageaient une poignée d'or
À coups de sabre, à coups d'couteau.
Eh oh oh oh ! Eh oh oh oh !

*
* *

Si ce crétin de pirate croit que je vais céder à son chantage, il se fait des illusions ! Je suis bien mieux sur mon rocher, à écouter les borborygmes de mon estomac, qu'en compagnie de sa vilaine bobine !

Les heures passent, très lentes. « Grouilli... Grouilli... » Mon estomac gargouille de plus en plus fort. J'ai faim, j'ai faim. J'AI FAIM. À tel point que je n'arrive plus à penser à autre chose. Est-ce que ce sont des mouettes qui volent autour de moi, ou des poulets rôtis ? À l'horizon, des nuages barbe à papa flottent dans un ciel de grenadine. Mais j'ai beau tendre les bras vers ces délicieux mirages, ils sont hors de portée...

« Papa... Maman... Rémi... Hotdog... J'ai faiiiim ! »

Où sont-ils, en ce moment ? Autour de la table de la cuisine, en train de se régaler de... macaronis à la sauce tomate... choucroute garnie... pot-au-feu... endives au jambon...

Le nom de tous ces plats délicieux me fait saliver, et je répète indéfiniment, comme un refrain :

« Chou-fleur au gratin... Risotto... Couscous... Paella... Cassoulet toulousain... »

J'imagine mes parents et mon frère,

penchés sur leur assiette. Ils découpent des petits morceaux de légumes et de viande, les piquent sur leurs fourchettes, les portent à leurs bouches, les mâchent, les avalent. Et j'avale, moi aussi, en même temps qu'eux. Mais seulement du vide...

La nuit tombe. Peu à peu, le ciel et la mer se changent en gouffres noirs. C'est l'heure de l'angoisse. L'heure où les rideaux se ferment, dans toutes les maisons du monde. L'heure où, blotti devant la télé, son chien sur les genoux, on grignote des pop-corn...

J'ai beau avoir de la fierté, trop c'est trop !

D'une voix faible, j'appelle :

« Cap'tain Frog ! Cap'tain Frog ! »

Un ricanement lointain me parvient :

« Tu as changé d'avis, moussaillonne ?

— Oui, Cap'tain... Je ferai tout ce que vous voudrez, mais je vous en supplie, donnez-moi quelque chose à manger ! »

Des profondeurs de l'obscurité, j'entends un claquement monter vers moi : tac, tac, tac. Puis la lueur d'une lanterne apparaît. Dans le halo de lumière, l'affreux pirate sourit, dévoilant des gencives plantées de rares dents noircies.

« À la bonne heure ! Je savais que tu deviendrais raisonnable ! »

Il pose quelques harengs grillés et un coquillage rempli d'eau douce près de moi, puis repart, toujours en ricanant.

À tâtons, je me jette sur mes provisions. En général, je déteste les harengs grillés, mais aujourd'hui, il me semble que je n'ai jamais rien goûté de meilleur. S'il y en avait dix fois plus, je les dévorerais avec autant d'appétit !

La dernière bouchée avalée, je me recroqueville et, épuisée par toutes ces émotions, je sombre dans le sommeil en pensant à Hot-dog.

Chapitre 5

Le galion englouti

Un coup de pilon dans les côtes me réveille en sursaut.

« Allons, debout, feignante, il est temps de te mettre au travail ! »

L'aube blanchit à peine le ciel. Dans les rochers, les mouettes dorment encore, la tête sous l'aile. Complètement désorientée, je commence par me demander où je suis. Le temps d'un rêve, j'avais tout oublié...

Mais l'horrible réalité est là, devant moi : elle a le rictus édenté de Cap'tain Frog, son bandeau sur l'œil, sa jambe de bois...

Le pirate m'attrape par le bras et me force à me lever.

« Regarde là-bas, dit-il, en me montrant la mer au pied de la falaise. Tu ne vois rien ?

— Ben si... les vagues...

— Au-dessous des vagues... »

Je plisse les paupières, car le soleil levant fait miroiter la surface de l'eau.

« Tout au fond... », insiste Cap'tain Frog.

Ah oui !... Il me semble discerner quelque chose, une sorte de grosse masse sombre.

« C'est un galion englouti, dit le pirate. Il a coulé là, il y a des siècles. Et sais-tu ce qu'il transportait ?

— Euh !... non...

— DE L'OR ! »

Une étrange lueur brille dans son unique œil.

« Des milliers de pépites d'or, moussaillonne ! Une fortune colossale !

— Mais... elle est au fond de l'eau, cette fortune !

— Justement, TU VAS ALLER LA CHERCHER ! »

J'ouvre des yeux si grands que mes paupières me font mal.

« QUOI ?!

— Ce n'est pas bien difficile, il suffit de plonger...

— Avec ma jambe de bois ?

— Évidemment ! Le bois, ça flotte, tu sais !

— Pourquoi vous n'y allez pas vous-même ? »

Ma question a l'air de l'embarrasser. Il se trouble légèrement :

« Parce que... Parce que je suis trop

vieux. Avec mes rhumatismes, je n'arrive plus à nager.

— Eh bien, moi, je n'ai peut-être pas de rhumatismes, mais j'ai la trouille de l'eau, c'est encore pire ! »

Le visage de Cap'tain Frog se crispe de colère. On dirait Mme Lenoir quand elle interroge un élève qui ne connaît pas sa leçon !

« Trouille ou pas trouille, tu vas sauter, moussaillonne ! Et plus vite que ça ! N'oublie pas que tu es mon esclave ! »

Penchée au bord de la falaise, je regarde la mer, tout en bas. Un vertige me saisit. Je me recule en grinçant des dents.

« Je ne pourrai jamais... »

J'ai la tremblote, mais Cap'tain Frog s'en fiche. Saisissant l'extrémité d'une longue corde qu'il a apportée avec lui, il me l'attache autour de la taille.

« Dès que tu auras trouvé le trésor, donne un coup sec et je vous tirerai, l'or et toi », dit-il.

Puis, sans tenir compte de mes protestations, il ordonne :

« Allez, hop !

— Non, laissez-m... »

Je n'ai pas le temps de finir ma phrase. D'un geste ferme, le pirate vient de me projeter dans le vide. Je hurle à pleins poumons. La chute est interminable...

Dans une gerbe d'écume, j'atteins la surface de la mer. Une sensation de froid me saisit, l'élément liquide m'enveloppe. Puis c'est le monde du silence.

Il me semble avoir déjà vécu ce moment...

Sous moi, dans les profondeurs sous-marines, j'aperçois des buissons de corail, des chevelures d'algues, de gigantesques fleurs translucides. Tout un paysage étrange, ondulant au rythme des courants, et que sillonnent des bancs de poissons multicolores.

Mon corps ne pèse plus rien. Je suis légère, légère... Autant, sur la terre ferme, mon handicap me rendait malhabile, autant ici, je me déplace avec facilité. J'ai l'impression de voler...

Finalement, on est bien dans l'eau. C'est beaucoup moins effrayant que je ne le pensais. Je me demande vraiment pourquoi j'avais si peur...

Je circule entre les écueils couverts de coquillages nacrés, d'oursins et d'anémones de mer. Une méduse aux longs tentacules diaphanes me frôle. Une famille d'hippocampes, se suivant à la queue leu leu, passent devant moi. Je tends la main, ils s'accrochent gentiment à mes doigts...

Mais je commence à manquer d'air,

il est temps que je remonte. D'un coup de mollet, je file vers la surface où j'émerge en pleine lumière. Tout en haut, j'aperçois Cap'tain Frog qui scrute le flot, cramponné à sa corde. Comme il me semble ridicule, vu d'ici ! Et comme je me sens libre, malgré cette corde qui nous relie l'un à l'autre !

Je lui tire la langue et je replonge.

Cette fois, je me dirige vers le galion.

Tout d'abord, je ne vois qu'une masse noire, pas plus menaçante qu'un rocher. Mais au fur et à mesure que je descends, les formes se précisent, les détails apparaissent.

Malgré la pression de l'eau, mes cheveux carottes-râpées se dressent sur ma tête.

Devant moi vient de surgir un

visage monumental troué de deux larges yeux sans pupilles.

Le cœur glacé d'épouvante, je m'éloigne aussi vite que je peux...

Avec le recul, il ne reste, au loin, qu'une silhouette immobile et un peu floue : celle d'une femme attachée les bras derrière le dos, dont la robe et la chevelure semblent claquer au vent.

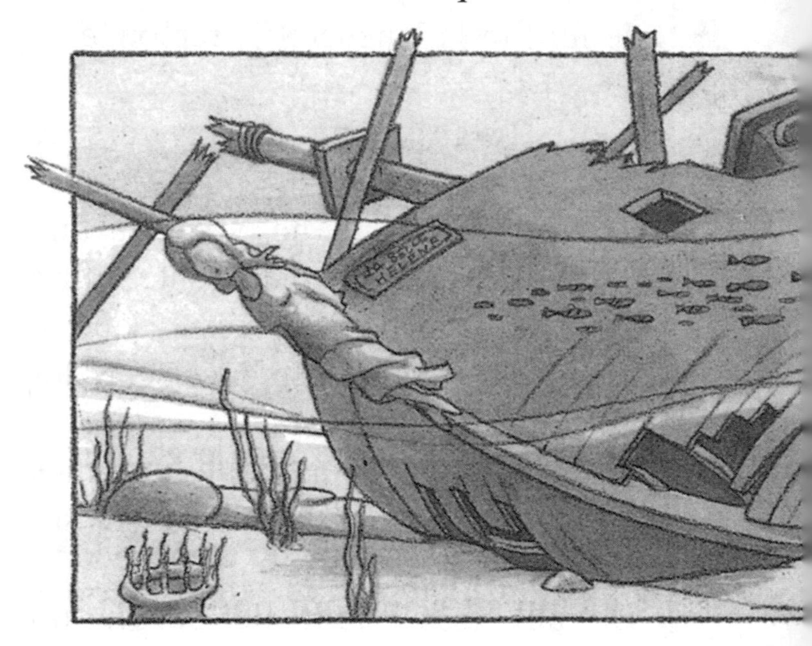

Au-dessus d'elle, un nom est gravé : *La Belle Hélène.*

Qu'est-ce que c'est ? Une statue géante ?

Mais non, j'y suis, c'est une figure de proue !

Les figures de proue, je sais ce que c'est, parce que j'ai lu *Le secret de la Licorne.* À une époque, les marins

sculptaient un personnage à l'avant de leurs navires. En général, il était terrifiant — monstre grimaçant, déesse féroce, animal légendaire — afin de décourager d'éventuels ennemis. Parfois, quand les bateaux s'affrontaient, on assistait à un duel entre un Neptune haut de dix mètres et un gigantesque dragon...

Tomber nez à nez avec *La Belle Hélène,* au fond de l'océan, c'est la chose la plus effroyable qui me soit jamais arrivée ! !

Je la contourne prudemment pour entrer dans l'épave.

Chapitre 6

Un conciliabule de squelettes

Mâts écroulés, lambeaux de voiles, planches pourries... Pas facile de pénétrer dans un tel enchevêtrement de débris ! D'autant qu'algues et mousses ont envahi les ruines, et qu'il faut se frayer un passage à travers une véritable forêt aquatique !

Tant bien que mal, je finis quand même par atteindre le pont du navire.

« Oh, que c'est joli ! »

Un tapis d'étoiles de mer jonche le sol et le bastingage. Des grandes, des petites, des roses, des jaunes, des mauves... Toute une galaxie sous-marine !

Mais l'étrange beauté de ce monde englouti ne doit pas me faire oublier le but de mon expédition. Je ne suis pas ici pour rêvasser, mais pour découvrir un trésor. D'ailleurs, de petits coups sur la corde me rappellent sans cesse à l'ordre : là-haut, Cap'tain Frog s'impatiente. Si je rentre bredouille, ça va être ma fête !

Où les marins ont-ils bien pu ranger leur or ? Sûrement dans la cabine du capitaine...

Il y a une trappe, au milieu du pont.

Un trou noir parmi les étoiles. Sans hésiter, je m'y faufile.

Le couloir où j'aboutis est plein de portes. J'en ouvre une au hasard.

Il fait très sombre à l'intérieur. Durant quelques instants, je ne distingue pas grand-chose. Puis mes yeux s'habituent à l'obscurité, et...

Ce que je vois est tellement horrible que je manque de tomber à la renverse !

Ils sont cinq, assis autour de ce qui a été une table. Cinq squelettes... Ils ont gardé la position dans laquelle la mort les a surpris. Peut-être consultaient-ils une carte, ou discutaient-ils de la route à suivre ?

Mon arrivée semble troubler leur conciliabule.

Avec moi, un remous est entré dans la cabine où rien n'avait bougé depuis des siècles. Sous l'effet du courant, la

tête des squelettes dodeline, et j'ai l'impression qu'ils se tournent vers moi pour me regarder de leurs orbites creuses.

Saisie d'une incontrôlable panique, je fais volte-face. Dans mon affolement, je heurte un pan de mur qui s'écroule. Ces mouvements brusques et désordonnés créent de violentes pressions sur la corde.

Là-haut, Cap'tain Frog réagit immédiatement. Il me tire de toutes ses forces. Le résultat est fulgurant : avant d'avoir pu réaliser ce qui m'arrivait, je me retrouve à l'air libre.

L'instant d'après, encore verte de peur, je me hisse dans les rochers.

« Alors, qu'as-tu ramené ? me crie le pirate, en se précipitant à ma rencontre aussi vite que le lui permet sa jambe de bois.

— Euh !... rien...

— Rien ? ! Alors, replonge immédiatement ! »

Retourner dans cette épave pleine de cadavres ? Pas question !

Je prends ce que maman appelle « ma tête à claques », et je m'écrie :

« Jamais je ne remettrai les pieds

dans votre sale bateau ! Vous entendez ? JAMAIS ! »

Sur les traits de Cap'tain Frog passe une telle expression de fureur que, l'espace d'un instant, je me demande si je ne préfère pas quand même les squelettes. Le meurtre frémit dans son œil unique, sa bouche édentée se tord de rage. Ses doigts crochus se tendent vers mon cou...

Sauve qui peut, ce fou furieux va m'étrangler !

Mais Kwak, perché sur son épaule, n'est pas du tout d'accord !

« Crrrr... Laaarguez les amarrrres ! » lui siffle-t-il dans l'oreille.

Surpris, le pirate fait un bond en l'air. J'en profite pour me sauver à toutes jambes.

Déjà, Cap'tain Frog s'est ressaisi et s'élance à ma poursuite. Son pas claudiquant me talonne, de plus en plus près... Je sens son souffle dans mon dos... Cette fois, je suis perdue !

« AAAAARGH ! » vocifère soudain le pirate.

Le bec de Kwak vient de lui lacérer la joue. Du coup, sa colère se retourne contre le malheureux oiseau. Il le jette par terre et le piétine sauvagement. Quelle horreur !

« Oh ! laissez-le ! ! »

Si je n'étais pas à sa merci, il aurait affaire à moi, cette espèce de vieux répugnant ! Je lui apprendrais à martyriser les animaux !

« Tu vois ce qui te pend au nez, moussaillonne ! » hurle Cap'tain Frog en abandonnant sa victime pour me foncer à nouveau dessus.

La peur fait parfois des miracles. Avec une agilité dont je ne me croyais pas capable, je parviens à me réfugier sur une étroite corniche surplombant le vide. Là, je suis hors de portée de mon poursuivant...

« Tu ne perds rien pour attendre, petite peste ! fulmine ce dernier. Ici, tout s'achète. Pas d'or, pas de nourriture. Alors, si tu ne veux pas mourir de faim et de soif... »

Mais je m'en fiche bien de ses menaces ! Les yeux brouillés de larmes, je fixe Kwak en hoquetant :

« Vous n'êtes qu'un monstre... Vous l'avez tué... »

Seul un ignoble ricanement me répond.

À peine le pirate a-t-il disparu que je me laisse glisser de mon perchoir pour courir vers le perroquet.

« Oh, Kwak ! Mon pauvre Kwak ! Tu t'es sacrifié pour moi ! »

Je tombe à genoux près de l'animal

inerte. Les sanglots m'étouffent. Je viens de perdre mon seul ami...

Durant un long moment, je reste là, effondrée, à caresser les plumes arc-en-ciel, les ailes mutilées, la tête ronde, le bec où perle un peu de sang. Jamais, de toute ma vie, je n'ai été aussi triste.

Soudain, un curieux bruit me tire de mon abattement. Une sorte de sifflement suraigu. Étonnée, je regarde autour de moi. D'où cela peut-il bien provenir ?

De la mer, on dirait...

Pourtant, je n'aperçois rien à l'horizon : ni nageur, ni radeau, ni voilier, ni même le périscope d'un sous-marin. Juste les vagues et, rasant le flot, le vol gracieux des mouettes...

Tiens, c'est bizarre... Il me semble que... Mais oui, je ne me trompe pas : un deuxième sifflement semble répondre au premier. Et celui-ci vient de l'île.

Je me penche au bord de la falaise pour jeter un coup d'œil dans la crique. Allongé sur le sable, une bouteille de rhum vide à côté de lui, Cap'tain Frog ronfle. Je pousse un soupir de soulagement : le voici hors d'état de nuire pour quelques heures.

Le sifflement venu de la mer reprend de plus belle.

Nom d'un caramel à vélo, quel est ce nouveau mystère ?

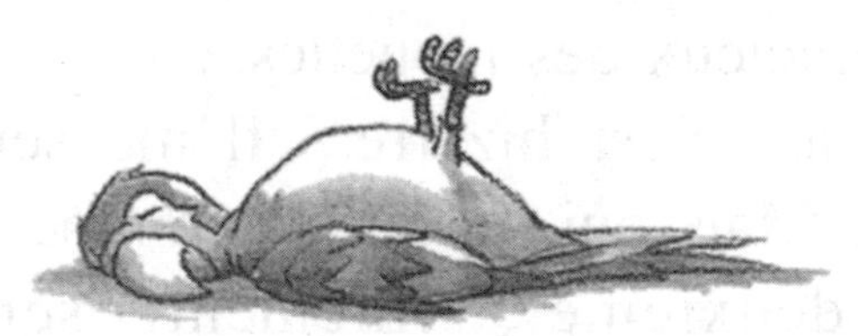

Chapitre 7

Le prisonnier du récif

Après un dernier baiser à Kwak, je pose sa dépouille sur un matelas de goémon, dans le creux d'un rocher. Ma gorge est si serrée que j'ai du mal à respirer. Est-ce qu'on peut mourir étouffé par le chagrin ?

Le sifflement retentit à nouveau, côté terre, cette fois. Je tends l'oreille. On dirait qu'il sort d'un petit groupe de récifs, à la pointe de l'île.

Si j'allais examiner ça d'un peu plus près ?

M'armant de courage, je pars, clopin-clopant. C'est un vrai supplice de me déplacer dans les rochers ! J'avance très lentement et je manque de me casser la figure à chaque pas.

Lorsque je parviens enfin sur les récifs, une mauvaise surprise m'attend : le sifflement qui me guidait s'est arrêté.

Me voilà bien embarrassée ! Que faire ? Appeler ?

Ce n'est peut-être pas très prudent... Si le siffleur était une bête sauvage, ou un monstre marin, ou...

Bah ! après tout, qu'est-ce que je risque maintenant ? Au point où j'en suis...

Je mets mes mains en porte-voix, je gonfle mes poumons et je hurle :

« Ouh, ouh ! Y a quelqu'un ? »

Seul le vent du large me répond. J'insiste :

« Ouh, ouh ! Je ne vous veux pas de mal ! Je suis votre amie ! »

Soudain, léger, presque inaudible, le sifflement reprend.

Il émane d'un monticule rocheux émergeant de la mer, à une centaine de mètres. On ne peut y parvenir qu'à la nage, ce qui m'arrange : c'est moins fatigant que de marcher.

Atteindre l'écueil est un jeu d'enfant. Par contre, l'escalader...

« Ouh, ouh, où êtes-vous ? Je ne vous vois pas !

— Ici ! »

Mon cœur bondit dans ma poitrine. Car non seulement la voix est toute proche à présent, mais elle appartient à un être humain !

Par contre, il y a une chose que je

ne m'explique pas : elle sort DE L'INTÉRIEUR DE LA TERRE !

Encore un mystère. Un de plus !

Dans un dernier effort, je parviens au sommet.

« Ça alors ! »

Pour une surprise, c'est une surprise ! Le monticule ressemble à un mini-volcan dont le cratère est fermé par une grosse grille rouillée.

Un cachot !

J'essaie d'apercevoir quelque chose entre les barreaux, mais il fait trop sombre. Est-ce possible que quelqu'un croupisse au fond de ce trou obscur ?

« Vous... Vous êtes là-dedans ?

— Oui... Délivrez-moi, s'il vous plaît ! »

Les questions se bousculent sur mes lèvres :

« Qui êtes-vous ? Qu'est-ce que

vous faites là ? Pourquoi vous a-t-on enfermé ?

— Mon nom est Jeudi... Cap'tain Frog me retient captif... Je vous en supplie, aidez-moi à sortir d'ici... »

Ça alors, une autre victime de Cap'tain Frog ! Les paroles du pirate me reviennent en mémoire : « Tu es le premier humain que je vois depuis vingt ans. » Quel menteur, alors, celui-là !

« Oui, oui, je vous libère tout de suite ! »

Des deux mains, je m'agrippe à la grille. Mais elle est lourde et scellée dans la pierre. J'ai beau m'arc-bouter et tirer de toutes mes forces, je n'arrive même pas à la faire bouger.

En bas, Jeudi m'encourage de son mieux :

« Allez-y... Plus fort !... Vous y êtes presque !

— Oh ! hisse... Oh ! hiiiiisse... »

La maîtresse dit que lorsqu'on s'acharne, on finit toujours par obtenir un résultat. Eh bien, elle n'a pas tort. À la longue, la grille pivote et je parviens à la déplacer légèrement. C'est un bon début !

À présent, le prisonnier trépigne, pousse des cris de joie, pleure et rit en même temps. On n'a pas idée de faire un tel raffut !

« Calmez-vous, voyons ! Vous allez réveiller Cap'tain Frog ! »

Oh ! hisse ! Dans un ultime effort, la grille cède enfin.

Hors d'haleine, je me laisse tomber sur le sol, à côté du trou. Je suis impatiente que Jeudi sorte, pour voir quelle tête il a !

Mais Jeudi ne sort pas.

À nouveau, je me penche au-dessus du cratère.

« Ben... Qu'est-ce que vous faites ?
— Je ne peux pas atteindre le bord, c'est trop haut ! »

Maintenant que la grille est retirée, la lumière pénètre à flots dans le cachot et je me rends compte de sa profondeur. Trois mètres, au moins. Peut-être plus. Une petite silhouette essaie vainement de grimper le long des parois, glisse, tombe, remonte...

« Mais... Tu es un enfant !

— Ben ouais, qu'est-ce que tu t'attendais à trouver ? Un grand-père ? »

Jeudi n'a pas l'air plus vieux que moi, et bien que ce ne soit pas le moment de penser à ça, je le trouve vraiment mignon. Tout brun, tout maigre, de longs cheveux noirs tombant sur ses épaules, il est uniquement vêtu d'un pagne en plumes de mouette.

« Euh !... oui... enfin, je pensais que tu étais un adulte. À cause de ton nom : il me rappelait le Vendredi de *Robinson Crusoé.* »

Sans tenir compte de ma remarque, le prisonnier poursuit ses tentatives d'escalade.

« Il me faudrait une échelle, grommelle-t-il. Ou une corde... »

Je bondis.

« Une corde ? Mais j'en ai une ! Cap'tain Frog me l'avait attachée autour de la taille... Elle est restée en bas...

— Qu'est-ce que tu attends pour aller la chercher ? »

Chapitre 8

L'enfant des dauphins

Munie de ma corde, je m'agenouille au bord du cratère :

« Ça y est, Jeudi, on va pouvoir... »

Un ricanement abominable, derrière moi, m'interrompt. Durant une fraction de seconde, j'ai l'impression que mon cœur cesse de battre. Avant que j'aie le temps de me retourner, une secousse dans le dos me projette vers l'avant, et je plonge la tête la première dans le trou.

Le choc est violent, d'autant que je m'effondre sur le malheureux Jeudi.

« Aaaaïe !

— Ouiiille ! »

À moitié assommés, nous nous retrouvons tous deux par terre, bras, jambes et pilon emmêlés.

Au-dessus de nous, la face grimaçante du pirate s'encadre dans l'ouverture.

« Alors, petits misérables, on voulait me fausser compagnie ? »

Cap'tain Frog est encore plus laid que d'habitude. Une joie mauvaise fait briller son œil, un rictus cruel déforme sa bouche.

« Je ne te croyais pas si sotte, moussaillonne ! On aurait pu s'entendre, toi et moi... On aurait même pu devenir riches ! Mais puisque tu préfères la compagnie de ce sauvage à la mienne, tant pis pour toi ! Tu n'as qu'à rester avec lui... jusqu'à ce que mort s'ensuive, ha, ha, ha, ha, ha ! »

L'instant d'après, la grille a repris sa place. Et l'horrible rire de Cap'tain Frog s'éteint dans le lointain.

« On est fichus... », murmure Jeudi.

J'acquiesce avec un soupir. Durant un long moment, nous restons sans parler, à grelotter l'un contre l'autre. Puis ma curiosité reprend le dessus.

« Comment es-tu arrivé ici, toi ?

— Cap'tain Frog m'a pêché dans la mer...

— Pêché ? Repêché, tu veux dire !

— Non, il m'a attrapé dans ses filets, comme un poisson... »

Prise d'un doute, je m'éloigne du garçon pour scruter son visage. Se moque-t-il de moi ?

Le blanc de ses yeux luit faiblement dans la pénombre, et ces yeux-là n'ont pas l'air de mentir...

« Pourquoi “comme un poisson” ?

— Parce que JE SUIS UN POISSON !

— Hein ? !

— Mes parents sont des dauphins. »

S'il y a bien une chose que je déteste, c'est qu'on me prenne pour une idiote. Ça me met dans une colère noire, quelles que soient les circonstances. Même au fond d'un cachot creusé dans le roc, et perdu en plein milieu de l'océan !

« Tu te crois malin ?

— Je te jure que c'est vrai ! Quand j'étais petit, le bateau sur lequel voyageait ma famille a coulé. Tout le monde s'est noyé, sauf moi : j'ai été sauvé par un couple de dauphins, qui m'a adopté. »

Ah, là, je comprends mieux !

« Je nageais dans les parages quand Cap'tain Frog m'a capturé. Au début, j'étais content de rencontrer quelqu'un comme moi. On a sympathisé. C'est lui qui m'a appelé Jeudi et m'a obligé à porter un pagne. Il a décidé que je serais son esclave, et moi, j'ai accepté : esclave, je ne savais pas ce que ça voulait dire...

— Et maintenant, tu le sais ? »

Mon nouvel ami hoche tristement la tête :

« Malheureusement... Avec le temps, cette crapule de pirate est devenue de plus en plus méchante. Il m'a forcé à travailler, et quand je n'obéissais pas, il me frappait... Regarde, j'ai encore les épaules pleines de marques ! »

La rage me fait bégayer :

« Quel m... monstre, ce type ! Il bat les enfants, il les emprisonne, il tue les p.... perroquets...

— QUOI ? Il a tué Kwak ? ! La brute, la sale brute !

— Est-ce qu'il t'a envoyé dans l'épave, toi aussi ?

— Ben non... Il a eu peur que je me sauve. Depuis que je suis prisonnier, mes parents tournent nuit et jour autour de l'île en m'appelant.

— Les sifflements de la mer, c'était donc ça...

— Bien sûr ! Pourquoi crois-tu que Cap'tain Frog m'a enfermé ? Il veut m'empêcher d'aller les rejoindre ! »

D'un seul coup, toute la vérité m'apparaît, limpide :

« Mais alors... Ce n'est pas à cause de ses rhumatismes qu'il ne cherche pas lui-même son trésor, c'est parce qu'il a la frousse !

— Évidemment ! Si jamais mon père ou ma mère l'attrape, je te promets qu'il passera un mauvais quart d'heure !

— Pourquoi il ne te relâche pas ?

Une fois que tu seras libre, il n'aura plus rien à craindre.

— Il s'imagine que je vais lui voler son trésor... C'est un vieux fou, tu sais ! Comme si les animaux s'intéressaient à l'or ! »

Quand le mystère se dissipe, on se sent tout de suite mieux. Cette conversation m'a rendu ma forme !

Je saute sur mes pieds.

« Bon... Eh bien, maintenant, il ne nous reste plus qu'à nous échapper !

— Ça, ma vieille, c'est plus facile à dire qu'à faire ! »

Effectivement, vue d'ici, la sortie semble hors de portée...

« En montant debout sur tes épaules, je parviendrai peut-être à atteindre les barreaux... ? »

Notre échafaudage se construit tant bien que mal. Mais j'ai beau lever les bras, je n'arrive même pas à toucher la grille.

« Jamais nous ne sortirons de ce trou..., se lamente Jeudi. Nous sommes en prison à perpétuité... »

Dehors, c'est le crépuscule. Assis l'un contre l'autre, nous regardons s'estomper peu à peu la faible lueur tombant du ciel.

« Et en plus, j'ai faim..., ajoute le garçon. Pas toi ?

— Tu parles ! Je n'ai rien mangé depuis hier !

— Moi, ça fait au moins deux jours ! »

Dans l'ombre, nos estomacs gargouillent tant qu'ils peuvent.

« Tu sais, à ce rythme-là, nous n'en avons plus pour longtemps..., dit Jeudi d'un ton lugubre. Sans eau et sans nourriture, nous ne tiendrons pas éternellement... »

[illegible] je n'arrive même pas à toucher la grille.

« Jamais nous ne sortirons [illegible] se lamente Jeudi. Nous sommes [illegible] à perpétuité... »

Dehors, [illegible] les [illegible] coule [illegible] pour [illegible] tombant du ciel.

« Et en plus, j'ai [illegible] Pas toi ?

— Tu parles ! Je n'ai rien mangé depuis hier !

— Moi, ça fait au moins deux jours ! »

Dans l'ombre, nos estomacs gargouillent tant qu'ils peuvent.

« Jusqu'à ce [illegible] -là, nous n'en avons plus pour longtemps, dit Jeudi d'un ton lugubre. Sans eau et sans nourriture, nous ne tiendrons pas éternellement. »

bras, je n'arrive même pas à toucher la grille.

« Jamais nous ne sortirons de ce trou..., se lamente Jeudi. Nous sommes en prison à perpétuité... »

Dehors, c'est le crépuscule. Assis l'un contre l'autre, nous regardons s'estomper peu à peu la faible lueur tombant du ciel.

« Et en plus, j'ai faim..., ajoute le garçon. Pas toi ?

— Tu parles ! Je n'ai rien mangé depuis hier !

— Moi, ça fait au moins deux jours ! »

Dans l'ombre, nos estomacs gargouillent tant qu'ils peuvent.

« Tu sais, à ce rythme-là, nous n'en avons plus pour longtemps..., dit Jeudi d'un ton lugubre. Sans eau et sans nourriture, nous ne tiendrons pas éternellement... »

ras, je n’arrive même pas à toucher la grille.

« Jamais nous ne sortirons de ce trou..., se lamente Jeudi. Nous sommes en prison à perpétuité... »

Dehors, c’est le crépuscule. Assis l’un contre l’autre, nous regardons s’estomper peu à peu la faible lueur tombant du ciel.

« Et en plus, j’ai faim..., ajoute le garçon. Pas toi ?

— Tu parles ! Je n’ai rien mangé depuis hier !

— Moi, ça fait au moins deux jours ! »

Dans l’ombre, nos estomacs gargouillent tant qu’ils peuvent.

« Tu sais, à ce rythme-là, nous n’en avons plus pour longtemps..., dit Jeudi d’un ton lugubre. Sans eau et sans nourriture, nous ne tiendrons pas éternellement... »

pas, je n'arrive même pas à toucher la grille.

« Jamais nous ne sortirons de ce trou... se lamente [illegible]. Nous sommes en prison à perpétuité. »

Dehors, c'est [illegible] l'un contre l'autre [illegible] regardons s'estomper [illegible] peu à peu [illegible] tombant du ciel.

« Et en plus, j'ai faim... [illegible] encore ! Pas toi ?

— Tu parles ! Je n'ai rien mangé depuis hier !

— Moi, ça fait au moins [illegible] jours ! »

Dans l'ombre, nos estomacs gargouillent tant qu'ils peuvent.

« Tu sais, à ce rythme-là, nous n'en avons plus pour longtemps, [illegible] d'un ton lugubre. Sans eau ni [illegible] nourriture, nous ne tiendrons pas deux [illegible]

Chapitre 9

Le perroquet est une perroquette !

« Clok... crouiiik... »

Tout d'abord, j'ai l'impression de rêver. À tout hasard, j'ouvre quand même un œil.

Ça vient de la grille, en haut.

« Kwak ? C'est... c'est toi ?

— Crrrr.... Debout, moussaillôôô-ônne !

— Ça alors ! Tu n'es pas mort ? »

Le perroquet piétine sur la grille, ses petites pattes recourbées accrochées aux barreaux. Et ma foi, il a l'air aussi bien portant que vous et moi !

« Qu'est-ce qui se passe ? » demande Jeudi, s'éveillant à son tour.

Puis il aperçoit Kwak dont les plumes luisent sous la lune, et reste bouche bée.

« Tu m'avais dit que Cap'tain Frog l'avait tué !

— Ben oui, je croyais... Mais il devait juste être évanoui... Oh ! qu'est-ce qu'il fait ? »

Kwak s'est laissé glisser entre deux barreaux. À présent, il se trouve à l'intérieur du cachot, la tête en bas.

« Je ne sais pas... On dirait qu'il veut venir nous rejoindre... »

C'est exactement ça ! À peine Jeudi a-t-il parlé que le perroquet desserre ses pattes et se laisse tomber sur nous. J'ai juste le temps d'ouvrir les bras pour le rattraper. Et là, nous nous embrassons comme des fous.

Jeudi nous regarde en se grattant la tête.

« Ben dis donc... Vous avez l'air de vous aimer sacrément, tous les deux ! Et moi, alors !

— Crrrr... Salut, moussaillon ! »

Les deux copains se cajolent longuement.

« Hélas, tout ça ne nous avance pas beaucoup ! reprend Jeudi, une fois les premières effusions passées. Au lieu d'être deux à mourir de faim, nous voilà trois... »

Et, comme pour lui donner raison, son ventre se remet à gargouiller.

Mais je ne l'écoute pas. Depuis un petit moment, la bizarre attitude de Kwak m'intrigue. Ratatiné sur le sol dans un coin, il ne bouge plus. Je m'agenouille près de lui :

« Qu'as-tu, mon pauvre perroquet ? »

L'œil fixe, prostré, Kwak ne semble même pas m'entendre. J'appelle mon compagnon à la rescousse.

« Viens voir, Jeudi... J'ai l'impression qu'il est malade...

— C'est vrai, il a l'air tout drôle... C'est grave, tu crois ? »

L'aurore nous surprend, tremblant d'inquiétude au chevet de notre ami.

Soudain :

« Crrr ! Laaaarguez les amarrrres ! » hurle Kwak à pleine voix.

Il se redresse et s'ébroue, triomphant. Sous lui, il y a... un œuf. Un gros œuf moucheté, tout frais pondu.

Nom d'un ver luisant à roulettes, le perroquet est une perroquette ! !

« Crrrr... Bon appétiiit », clame Kwak en s'éloignant.

Jeudi et moi, nous nous regardons, sidérés. Puis brusquement, nous réalisons... Cet œuf va nous sauver la vie ! Dans la seconde qui suit, nous le gobons avidement.

« Oh, Kwak, je ne sais comment te

remercier ! » s'écrie Jeudi, la bouche pleine.

Manger lui a rendu toute son énergie... et à moi aussi. Du coup, mon cerveau fonctionne à cent à l'heure.

« Moi, je sais ! »

Mon compagnon ouvre de grands yeux.

« Qu'est-ce que tu sais ?

— Comment remercier Kwak, pardi ! Enlève ton pagne ! »

L'expression de Jeudi vaut le détour ! Il vrille son index sur sa tempe.

« Tu es devenue complètement zinzin, ma parole !

— Pas du tout ! Je vais fabriquer une prothèse à Kwak.

— Une quoi ?

— Une prothèse. Des ailes artificielles, si tu préfères.

— Je ne comprends pas... »

Je hausse les épaules avec impatience. Décidément, les garçons, ce n'est pas très futé !

« J'ai perdu ma jambe. À la place, on m'a mis un pilon pour que je puisse marcher. Jusque-là, tu es d'accord ?

— Euh... oui !

— Eh bien, nous allons faire la même chose pour Kwak : on va lui fabriquer des ailes artificielles, comme ça, il pourra de nouveau voler. »

Le visage de Jeudi s'éclaire.

« Des ailes artificielles ? Avec les plumes de mon pagne ?

— Ben oui ! Nous allons les coller au bout de ses moignons !

— On n'a pas de colle...

— Bien sûr que si : il reste du blanc d'œuf ! »

Puisque c'est pour une bonne cause, Jeudi accepte de se mettre tout nu.

« Tourne-toi de l'autre côté pendant que je me déshabille ! » me recommande-t-il néanmoins.

Durant les heures qui suivent, nous bricolons minutieusement.

« Fantastique ! » s'exclame Jeudi, en posant la dernière plume.

Le mot n'est pas trop fort : notre perroquet est superbe, avec ses grandes ailes blanches toutes neuves !

« Maintenant, reste à savoir s'il arrivera à s'en servir ! »

Kwak se pavane quelques instants au fond du trou, puis il prend son élan. C'est l'instant décisif !

Dressé sur la pointe de ses pattes, il déploie ses ailes, les agite avec maladresse. Puis il décolle, volette quelques secondes en zigzag, et retombe lourdement.

« Raté ! » gémit Jeudi, déçu.

Mais Kwak ne s'avoue pas battu

pour autant. Il réessaie. La seconde tentative s'avère nettement moins catastrophique que la première. Quant à la troisième...

« Ouais ! Il a réussi ! Bravo, Kwak !

— Regarde, il s'est accroché à la grille ! Il ne lui reste plus qu'à passer entre les barreaux ! »

L'instant d'après, notre perroquet s'envole vers le soleil.

Chapitre 10

Sauvés !

« Bon... Tout ça, c'est bien joli, soupire Jeudi. Mais nous, on reste en carafe...

— Ben oui... Enfin, c'est quand même consolant de savoir que Kwak, au moins, ne crèvera pas dans ce trou...

— Tu crois qu'il va nous oublier ? »

Je hausse les épaules en signe d'ignorance.

« Peut-être qu'il continuera à venir pondre ici, pour nous nourrir...

— Bah !... À quoi ça nous avancera ? Tu te vois rester dans ce cachot toute ta vie, à manger des œufs ? »

Un fracas assourdissant nous arrache à nos sombres pensées.

« Qu'est-ce que c'est ?

— On dirait... le piaillement d'une foule d'oiseaux ! »

Comme pour me donner raison, des dizaines de mouettes se posent sur la grille, plongeant notre cachot dans l'obscurité.

« Qu'est-ce qui leur p... prend ? » bredouille Jeudi, effaré.

Soudain, dominant le brouhaha, un cri perçant retentit :

« Laaaarguez les amarrrres ! »

Kwak ! Kwak est revenu ! Et il a amené du renfort !

Comme obéissant à un ordre, les

oiseaux s'écartent de la grille pour livrer passage à deux des leurs, qui, comme le perroquet tout à l'heure, descendent dans la fosse.

« Je n'en crois pas mes yeux ! dit Jeudi, en tendant les mains pour les caresser. Est-ce qu'ils viennent nous apporter des œufs, eux aussi ?

— Non... À mon avis, ils ont une autre idée derrière la tête ! »

Je ne me suis pas trompée. Ce n'est pas nous qui intéressons les petits visiteurs, c'est...

« La corde ! »

La suite se déroule comme dans un rêve. Chaque oiseau attrape une extrémité de la corde dans son bec, et ils ressortent, en coinçant leur trophée dans les barreaux. Puis, aussi subitement qu'elle était apparue, la nuée de mouettes s'envole... emportant la grille avec elle.

« Ils... Ils sont en train de nous délivrer ! ânonne Jeudi. Tu te rends compte, Zoé ? LES OISEAUX NOUS DÉLIVRENT ! ! »

Dans le ciel, les piaillements qui s'étaient éloignés reprennent de plus belle. Je pousse un hurlement de joie :

« Regarde, ils redescendent, ils nous tendent la corde ! Viens, accrochons-nous ! »

Quelques instants plus tard, dans un grand bruissement d'ailes, nous sommes, à notre tour, emportés loin du trou obscur.

Leur sauvetage accompli, les oiseaux disparaissent à l'horizon, nous laissant tous deux fous de bonheur. Surtout Jeudi, qui est resté enfermé bien plus longtemps que moi !

Revoir le soleil, la lumière, le ciel immense ! Respirer le vent du large !

Être libres, LIBRES ! J'ai le vertige, mon corps fourmille. Je voudrais courir, sauter, virevolter, faire des galipettes ! Si je n'avais pas cette jambe de bois, je crois que je battrais tous les records de course à pied !

L'enfant des dauphins, lui, n'éprouve rien de plus pressé que de plonger dans la mer.

Au loin, un joyeux sifflement retentit. Puis une forme bondit hors de l'eau, dans un grand jaillissement d'écume blanche.

« Maman ! » crie Jeudi, filant dare-dare dans sa direction.

Du plus vite que je peux, je m'élance à sa suite.

« Hé, attends-moi ! »

Tandis que nous nous éloignons de la côte, une vocifération s'élève dans l'air limpide.

« AAAAARGH ! Mes prisonniers s'enfuient ! »

Cap'tain Frog, qui nous a aperçus, trépigne de rage dans sa crique.

Sans cesser de nager, je me retourne et je lui fais un pied de nez. Comme par magie, toute sa colère se dégonfle et il s'écroule sur le sable en gémissant :

« Je suis tout seul... tout seul... Reviens, Zoé ! Ne m'abandonne pas ! »

Il en a de bonnes, lui ! S'il croit m'avoir par la pitié, il se met le doigt dans l'œil !

Les mains en porte-voix, je lui réponds du tac au tac :

« Au moins, comme ça, vous ne ferez plus de mal à personne, vieux sadique ! »

Non mais !

Entre-temps, Jeudi a retrouvé ses parents, et ça, c'est un spectacle inoubliable. Un véritable ballet aquatique !

Il y a deux dauphins, à présent, autour de mon copain. Jeudi, déchaîné, s'accroche à leur cou, grimpe à cheval sur leur queue et fait du toboggan le long de leur flanc. Il se sert même de leur museau comme plongeoir, cabriolant à en perdre haleine au milieu de grandes gerbes d'éclaboussures !

Sur sa peau brune et dans ses longs cheveux noirs, les gouttes d'eau brillent comme des diamants.

Qu'est-ce qu'il est beau ! Jamais je n'ai rencontré de garçon aussi beau !

Et pour couronner le tout, un perroquet aux ailes blanches apparaît brusquement dans le ciel. Il pique vers nous, et rase les vagues d'un vol majestueux, en piaillant à pleins poumons :

« Au revoirrr, moussaillon ! Au revoirrr, moussaillôôônne ! »

Puis, reprenant de l'altitude, il disparaît dans les nuages. Je lui envoie une multitude de baisers.

Soudain, l'un des dauphins semble s'apercevoir de ma présence et se dirige vers moi avec un sifflement très doux.

« Ma mère te propose de nous

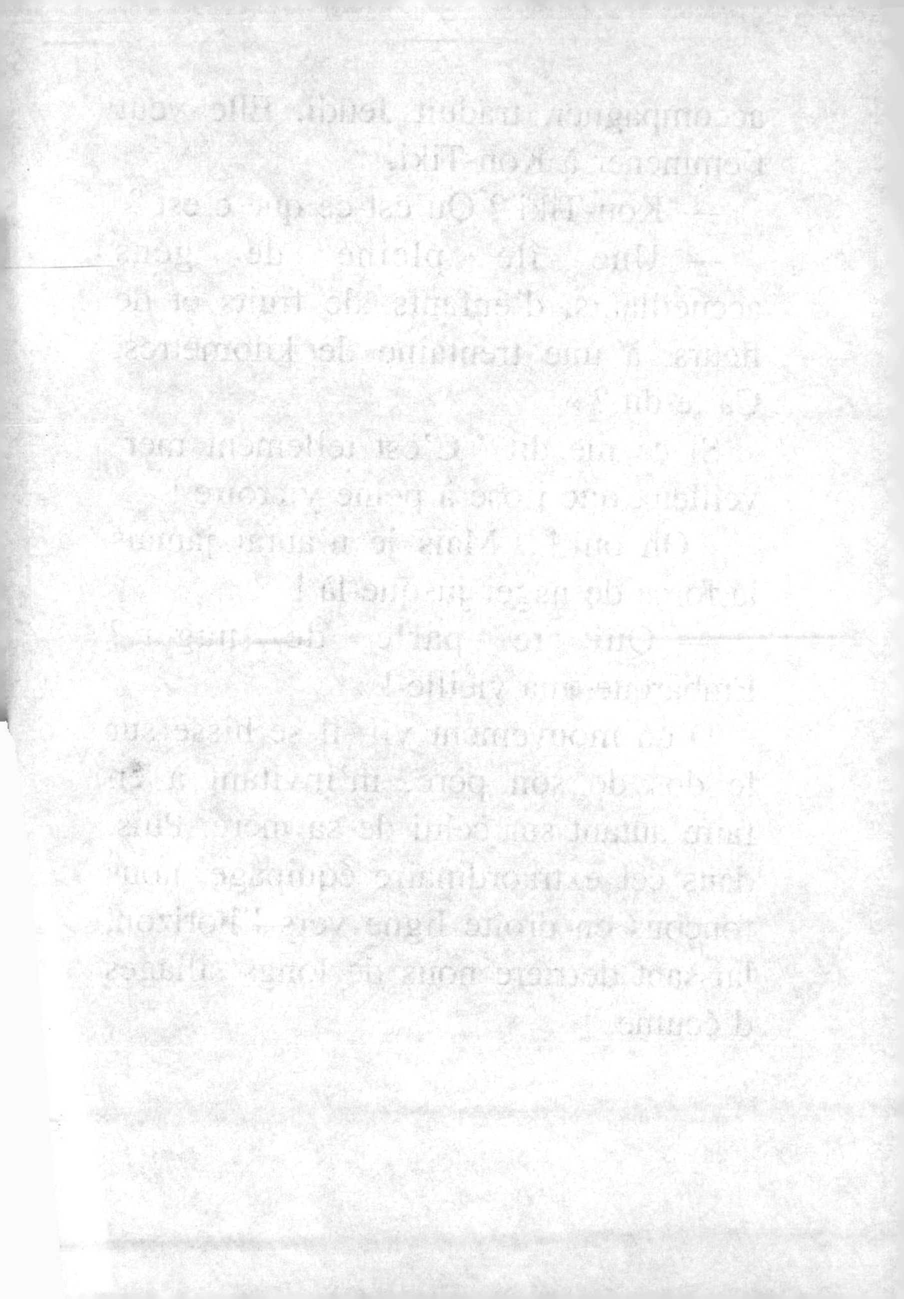

accompagner, traduit Jeudi. Elle veut t'emmener à Kon-Tiki.

— Kon-Tiki ? Qu'est-ce que c'est ?

— Une île pleine de gens accueillants, d'enfants, de fruits et de fleurs, à une trentaine de kilomètres. Ça te dit ? »

Si ça me dit ? C'est tellement merveilleux que j'ose à peine y croire !

« Oh oui !... Mais je n'aurai jamais la force de nager jusque-là !

— Qui te parle de nager ? Embarque, ma vieille ! »

D'un mouvement vif, il se hisse sur le dos de son père, m'invitant à en faire autant sur celui de sa mère. Puis, dans cet extraordinaire équipage, nous fonçons en droite ligne vers l'horizon, laissant derrière nous de longs sillages d'écume.

Chapitre 11

La mort qui vient de la mer

Quelle merveilleuse traversée !

« Elle est chouette, hein, ma famille ! » fanfaronne Jeudi.

Je suis bien de cet avis ! Monter à califourchon sur ses parents, je trouve ça génial ! Pendant quelques instants, je m'imagine assise sur le dos de maman, et tout d'abord, ça me fait rire. Puis, sans prévenir, une grosse déprime me tombe dessus.

« Tu sais quoi, Jeudi ? Je voudrais bien rentrer chez moi... »

Autour de nous, il n'y a plus que la mer. Pas la moindre petite côte, ni à droite, ni à gauche, ni devant, ni derrière. Juste une ligne d'horizon qui fait tout le tour.

« ... Toi, tu as de la chance, tu l'as retrouvée, ta famille ! Moi, elle me manque...

— C'est comment, chez toi ? demande Jeudi.

— J'habite dans un immeuble, à côté d'un square. On est cinq, à la maison. Mon père : il me surnomme son p'tit pot-au-feu et c'est le plus gentil papa du monde. Ma mère : elle a tendance à râler, mais après tout, chacun son caractère, je l'adore quand même. Mon frère, lui aussi, je l'adore, bien qu'il ne soit pas toujours sympa. Et puis mon chien... »

À cette évocation, les larmes me montent aux yeux.

« Il s'appelle Hot-dog... »

Je m'arrête : ma gorge nouée ne laisse plus passer aucun son. Le reverrai-je un jour, mon Hot-dog chéri ?

« Tu veux que je demande à mes parents de t'adopter ? » suggère Jeudi, pour essayer de me consoler.

Je hoche la tête en signe de négation. Les grandes aventures, ça peut sembler très amusant, à première vue. Mais il ne faut pas qu'elles durent trop longtemps. Là, parcourant l'océan sur le dos d'un dauphin, près d'un garçon de rêve et en direction d'une île paradisiaque, j'ai subitement la nostalgie de ma petite vie tranquille.

Même l'école, j'ai le cœur serré en y pensant. Même Mme Lenoir. Même la piscine...

« Regarde, Zoé, on arrive ! »

s'exclame soudain Jeudi, tout content de changer de sujet.

Je suis des yeux la direction qu'indique son doigt. Au loin se dessine une sorte de crête, encore à peine visible. Nos montures piquent droit dessus.

« C'est l'île de Kon-Tiki... Dans un instant, les mouettes vont nous accueillir. Quand on approche de la terre, c'est toujours elles qui nous repèrent les premières. Elles viennent à notre rencontre et nous escortent jusqu'à ce qu'on aborde ! »

Je lève le nez vers le ciel, mais il est vide.

« Prévenus par leurs cris, poursuit Jeudi, les habitants de l'île descendent sur la plage avec des colliers de fleurs... »

D'un coup, mon copain s'interrompt, fronce les sourcils.

« Tiens, comme c'est bizarre !... »

Les dauphins ont ralenti leur course et communiquent entre eux à l'aide de sons brefs et aigus. Un peu inquiète, je demande :

« Qu'est-ce qui se passe ? »

Jeudi me fait signe de me taire. Il écoute attentivement.

« Tu entends ? dit-il, au bout d'un petit moment.

— Ben non... Rien, à part le silence...

— Justement, ce silence n'est pas normal ! Aucun bruit sur l'île, pas de chants d'oiseaux... Mes parents craignent que... »

Il n'achève pas sa phrase, mais fixe avec effroi quelque chose qui dérive vers nous.

« Une mouette morte ! » murmure-t-il d'une voix étranglée.

Le petit cadavre flotte au gré des

vagues. Un cadavre au plumage étrangement noirâtre...

« Là, une autre... Et là... Et là ! »

La mer en est pleine, un vrai cimetière...

Je répète, de façon plus pressante :

« Mais qu'est-ce qui se passe, enfin ? »

Je tremble tellement que j'ai du mal à parler. D'autant qu'à présent, la plage est bien visible. Une plage parsemée, elle aussi, de dizaines d'oiseaux inertes...

Inertes ? Pas tous. Certains vivent encore, bougent faiblement. Tentent même d'avancer, en traînant derrière eux leurs grandes ailes inutiles...

Je n'ai jamais rien vu de plus affreux de toute ma vie !

« Qu'est-ce qu'ils ont ? Ils sont malades ? »

La réponse de Jeudi tombe, terrible :

« Non, ils sont englués dans du mazout !

— Quoi ? Qu'est-ce que tu racontes ?

— Tu n'as jamais entendu parler de la marée noire ? »

Le visage de mon compagnon est livide. Quant aux dauphins, ils poussent à présent d'insupportables couinements.

« Un pétrolier a dû sombrer dans les parages, et répandre sa cargaison dans la mer, explique Jeudi. Des milliers et des milliers de litres. Cette gigantesque “nappe” voyage à la surface de l'eau, en tuant tout sur son passage : poissons, crustacés, algues, et même les oiseaux dont elle colle les plumes, et qui échouent sur le rivage, paralysés... Puis elle atteint les côtes et les pollue...

— Où sont les habitants ?

— Ils ont dû se réfugier à l'intérieur des terres. Pour eux, c'est une catastrophe : ils vivent de la pêche.

— Et... ils ne vont pas porter secours aux oiseaux ? Les laver, par exemple ? »

Jeudi hausse les épaules avec découragement.

« C'est impossible, il y en a trop... »

Je serre les poings.

« Et alors ? Ils pourraient au moins en sauver quelques-uns, non ? Viens, allons-y, nous !

— Tu es folle ? On n'a ni savon ni dissolvant !

— Tant pis, essayons quand même. Les mouettes nous ont libérés, on leur doit bien ça ! »

Tandis que nous parlons, les dauphins ont pris la fuite et se hâtent à présent vers le grand large. Cramponné au cou de son père qui fend le flot avec une effarante rapidité, Jeudi me lance :

« Il faut filer d'ici, Zoé, c'est trop dangereux ! »

La rive s'éloigne. Bientôt, elle disparaîtra, avec ses oiseaux condamnés à mort.

Aveuglée par les embruns, je crie de toutes mes forces :

« Non, je ne veux pas les abandonner ! »

Mais Jeudi ne m'écoute pas. L'affolement de ses parents a déteint sur lui. Il n'a plus, lui aussi, qu'une seule idée : se mettre à l'abri. Quel égoïste !

« Si tu me laisses tomber, j'irai toute seule ! »

Pas de réponse. Tant pis ! Bravant le péril, je plonge.

« Reviens, Zoé ! » hurle Jeudi.

C'est alors que je « L' » aperçois. « Elle » est effroyable. Si effroyable que je regrette immédiatement mon acte d'héroïsme. Noire, épaisse, menaçante, « elle » se dirige inexorablement vers moi.

« LA MARÉE NOIRE ! »

Cette tache obscure dans l'eau bleue, c'est la mort qui s'avance ! !

Les dauphins ont stoppé net leur course et virent de bord pour venir me récupérer. Je tente désespérément de les rejoindre, mais la peur rend mes mouvements désordonnés. Au lieu de me rapprocher d'eux, je m'en éloigne.

« Jeudi, à l'aaaide !

— Zoééé ! ! »

La marée noire m'encercle. Cette fois, c'est la fin. L'eau rentre dans ma bouche, elle a un affreux goût de mazout. Une dernière fois, je tends les bras vers mes sauveteurs :

« AU SECOOOURS ! »

Trop tard ! Sous le regard horrifié de mes amis, la nappe d'ombre m'avale...

À l'instant où je perds connaissance, une voix d'enfant me parvient, de très loin :

« M'dame, m'dame, y a Zoé qui se noie ! »

Chapitre 12

Rêve ou réalité ?

« Ça va mieux, Zoé ? s'enquiert la maîtresse, sa tête à deux centimètres de la mienne.

— Où... Où suis-je ?

— Sur un lit de camp, dans la cabine du maître nageur... Tu as eu un malaise dans la piscine. »

Ahurie, je me soulève sur le coude. Par la porte vitrée, j'aperçois le bassin plein d'enfants. Sylvain, Thomas et Mathieu s'aspergent en riant, Mélanie et Laurence font la course, le gros Benoît saute du plongeoir en se bouchant le nez. Rien n'a changé depuis tout à l'heure.

Mais alors... Jeudi, les dauphins, Cap'tain Frog, c'était un rêve ?

Et ma jambe ? !

Je m'empresse de vérifier. Soulagement intense : ma jambe est intacte, à part un bleu au genou.

Mme Lenoir a suivi la direction de mon regard.

« Tu as mal ? demande-t-elle.

— Ben... un peu.

— Tu as dû te faire cet hématome en heurtant le fond, lorsque tu as sauté

du bord... Je me demande vraiment ce qui t'a pris ! »

Ça alors, quelle hypocrite ! C'est elle qui m'a poussée !

Je m'apprête à protester énergiquement quand mes yeux tombent à nouveau sur le bassin. Aussitôt, mon corps se couvre de chair de poule et je manque d'avaler ma langue.

« Aaaaah ! Là... Le... »

Un énorme requin vient de surgir parmi mes camarades.

La maîtresse éclate de rire.

« C'est la bouée de Cédric qui t'effraie à ce point ? Voyons, ma grande, remets-toi : ce n'est qu'un requin gonflable ! »

Le souffle coupé par l'émotion, je me laisse retomber sur mon oreiller.

« Repose-toi, dit Mme Lenoir, tu es encore sous le choc. Je vais aller téléphoner à tes parents pour qu'ils passent te chercher. Ne bouge pas surtout, je reviens tout de suite. »

Bouger, je n'en ai pas l'intention : mes muscles sont en coton. Avec un soupir de lassitude, je ferme les yeux. Dans quelques minutes, papa et maman vont arriver. Ils me ramèneront à la maison et me mettront au lit, avec de la musique, des biscuits à grignoter, mes B.D. préférées. Hot-dog pourra même rester près de moi, sous la couette. Ce genre de faveurs exceptionnelles, maman ne me les accorde que dans les grandes occasions. En cas de grippe, par exemple. Ou de crampes d'estomac, ou de migraine, ou d'évanouissement... L'avantage, quand on est malade, c'est qu'on se fait toujours gâter !

Un délicieux bien-être m'envahit. Mon esprit flotte, à mi-chemin entre songe et réalité. Je pense à Jeudi, à ses longs cheveux, à sa peau brune... Qu'est-ce qu'il me plaisait, ce gars-là, à califourchon sur son dauphin ! Un vrai personnage de légende, un prince des mers. Dommage que cette horrible marée noire nous ait séparés...

Je m'agite sur mon lit de camp. D'insoutenables images me reviennent en mémoire. Les pires séquences d'un film d'horreur... Des mouettes échouées sur le sable, les plumes collées par le mazout, traînant leurs grandes ailes en criant, la tête renversée vers le ciel...

Elles sont des centaines, des milliers à geindre autour de moi. Cette rumeur d'agonie m'assaille, m'oppresse, m'assourdit. Je vais me boucher les oreilles, pour ne plus l'entendre...

Mais je ne peux pas lever les mains.

Elles sont lourdes, lourdes... Paralysées... Engluées de pétrole...

Je me redresse d'un bond. Ouf ! ce n'était qu'un rêve. Je m'étais assoupie...

À travers la vitre, je vois mes copains jouer dans la piscine. J'entends leurs cris de joie...

Mais... CE NE SONT PAS DES CRIS DE JOIE, CE SONT DES HURLEMENTS D'ÉPOUVANTE !

L'eau de la piscine est noire, épaisse. Elle charrie les corps inertes de dizaines d'enfants. Certains ont réussi à grimper sur le bord et appellent au secours. Leurs membres sont couverts de goudron...

Je hurle à pleine gorge. À présent, le flot obscur déborde de la piscine et monte jusqu'à moi. Il s'avance avec un grondement menaçant, s'étale, se répand, recouvre le carrelage. Il va... Il va atteindre la porte de la cabine... passer dessous... De longues traînées sombres rampent vers mon lit...

*
* *

Une main très douce caresse mon front en sueur.

« Zoé, calme-toi, ma chérie... »

Cette voix ! Un frisson de tendresse m'envahit.

« Oh, papa ! J'ai eu si peur ! »

Blottie dans les bras de mon père, je m'apaise peu à peu. Son arrivée a balayé mes terreurs. La marée noire a disparu, l'eau de la piscine a retrouvé sa limpidité, et mes camarades se baignent comme si rien ne s'était passé.

« Elle a été fort secouée, déclare

mielleusement Mme Lenoir. C'est une enfant si impressionnable ! Une demi-journée de calme lui fera le plus grand bien. »

Papa approuve d'un sourire poli, mais son regard reste inquiet.

« Tu pourras marcher jusqu'à la voiture, ma chérie ?

— Euh !... Oui, je crois... »

Prudemment, je fais fonctionner mon corps. Ça a l'air d'aller. Ma jambe a repoussé, mes bras se sont désenglués. J'ai juste la tête qui tourne un peu...

« Tu veux que je te porte ? insiste papa.

— Non, je suis capable d'y aller toute seule.

— Appuie-toi sur moi. »

Bien serrés l'un contre l'autre, nous quittons cet endroit détestable, cette piscine de cauchemar à l'odeur de chlore et de...

Je renifle avec méfiance :

« Tu ne trouves pas que ça empeste le mazout, ici, p'pa ? »

Chapitre 13

De retour à la maison...

Quand mon père a cet air mystérieux, c'est bon signe. Surtout lorsque, en plus, il garde les mains derrière le dos.

« Surprise ! »

Assise dans mon lit, je m'impatiente :

« Qu'est-ce que c'est, p'pa ? Qu'est-ce que c'est ?

— Un cadeau pour toi, mon p'tit pot-au-feu ! »

Avec une lenteur calculée pour mieux prolonger le suspense, il ramène ses mains devant lui.

« Ouah, super ! Un poisson rouge ! Il y avait très longtemps que j'en voulais un !

— Bonne guérison, ma chérie ! » dit-il, en posant le globe de verre sur ma table de chevet.

Intrigué, Hot-dog, qui dormait enfoui sous ma couette, pointe le bout de son museau. Il flaire à droite et à gauche puis, jugeant sans doute cet examen satisfaisant, s'extirpe de la chaleur des draps, s'ébroue, se dirige vers mon cadeau et y colle sa truffe.

« Attention, Hot-dog ! dit papa en riant. Tu vas effrayer notre nouveau pensionnaire ! »

Mais le nouveau pensionnaire ne

semble pas le moins du monde impressionné. Il fait des voltiges dans son aquarium, crache quelques bulles, puis s'approche lui aussi de la paroi transparente. Le voici nez à nez avec Hotdog. Ils s'observent. Les ouïes du poisson palpitent, le chien remue la queue.

« Le courant passe, à ce que je vois ! s'esclaffe papa. Comment vas-tu appeler ton nouvel ami, Zoé ?

— Jeudi. »

Le nom m'est venu tout seul, sans réfléchir. Papa hausse un sourcil derrière ses lunettes.

« Ah bon ? Si je te l'avais offert hier, tu l'aurais appelé Mercredi, alors ? »

Vais-je rentrer dans une longue explication ou mentir, tout simplement ? Les pères, même formidables, ne comprennent pas grand-chose aux rêves de leurs filles...

Après une brève hésitation, je hoche affirmativement la tête.

Papa est un petit peu déçu :

« Ce n'est pas très original, comme nom. Moi, j'aurais préféré Bubulle, ou Coquelicot, ou Tomato Ketchup... Mais c'est ton poisson, après tout. C'est à toi de décider... »

De l'ongle, il tapote l'aquarium.

« Jeudi ! Bonjour, Jeudi ! »

Puis, se tournant vers moi :

« Tu t'en occuperas bien, hein ? Élever des bêtes, c'est une lourde responsabilité !

— Promis, p'pa ! Ce sera le poisson rouge le plus heureux de la terre !

— Bon, alors je vous laisse en tête à tête, tous les deux. Vous devez avoir un tas de choses à vous dire ! »

Il m'embrasse, puis, avec un sourire complice, chuchote, avant de s'éclipser :

« Je lui ai fait la leçon avant de te le donner : je l'ai chargé de t'expliquer qu'il ne fallait pas avoir peur de l'eau ! »

L'univers de Jeudi est passionnant à observer. C'est un échantillon du monde sous-marin, l'océan en miniature.

Une forêt de plantes aquatiques garnit l'aquarium ; le poisson y joue à cache-cache. Au fond, sur un tapis de gravier de toutes les couleurs, se dresse un rocher en modèle réduit, couvert de mousse. Et au pied du rocher...

Je me rapproche, les yeux tout contre le verre.

Au pied du rocher repose un galion englouti. J'ai un peu de mal à le voir car la végétation l'a envahi. Mais lorsque les mouvements de l'eau écartent les algues, sa figure de proue apparaît furtivement. Une femme, les bras derrière le dos, les cheveux et la robe claquant au vent. Au-dessus d'elle, en minuscule, il est écrit *La Belle Hélène*...

Je la regarde, le cœur battant. *La Belle Hélène*... Qui devinerait qu'entre les flancs de cette épave se trouve un trésor, gardé par une assemblée de squelettes ?

Une charge d'éléphants dans l'escalier me tire de ma contemplation. Ça, c'est Rémi ou je ne m'appelle plus Zoé !

Gagné ! La porte s'entrouvre et la tête de mon frère apparaît par la fente.

« Salut, la noyée ! Alors, tu survis ? »

Sans attendre ma réponse, il se laisse tomber sur le bord du lit dont le sommier grince sous son poids, et louche vers l'aquarium...

« Extra, ton cadeau ! Papa ne s'est pas moqué de toi, dis donc ! » apprécie-t-il.

Et avec un ricanement particulièrement détestable, il ajoute :

« C'est marrant, comme idée, d'offrir un poisson à quelqu'un qui a peur de l'eau ! »

Je me rebiffe aussitôt. Ils commencent à me taper sur les nerfs, tous, avec leur refrain !

« Je n'ai pas peur de l'eau, d'abord !

— Première nouvelle ! C'est pour ça que tu tombes dans les pommes dès que tu te mouilles le bout des orteils ? »

Il m'agace, ce grand cornichon, il m'agaaace ! !

« N'importe quoi ! Je te répète que ce n'est pas l'eau qui me fait cet effet-là...

— C'est quoi, alors ?

— La pollution ! »

Rémi pousse un petit sifflement admiratif :

« Hou ! là ! Si mademoiselle se met à parler d'écologie... »

*

* *

« Debout, Zoé ! Il est sept heures et demie ! »

Brutalement arrachée de mon sommeil par la voix de maman, j'ouvre les yeux, bâille, m'étire. Je me serais bien offert une grasse matinée, moi ! Les jours de congé ne durent jamais assez longtemps, surtout quand ce sont des congés de maladie !

Blotti contre ma hanche, Hot-dog ronfle toujours. Les chiens ont une chance formidable : ils ne vont pas à l'école. Avec mille précautions pour ne pas le déranger, je me glisse hors du lit. Puis je me penche vers l'aquarium pour dire bonjour à Jeudi, et...

« AAAAAAAH ! »

Le hurlement m'a échappé, incontrôlable. L'eau de l'aquarium est toute noire.

Je me rue comme un bolide sur le palier :

« P'paaaa !

— Qu'est-ce qui se passe ? »

Papa a jailli de la salle de bains, la bouche pleine de dentifrice, sa brosse à dents à la main. Je lui atterris dans les bras, en larmes.

« Qu'est-ce qui t'arrive, mon p'tit pot-au-feu ? s'écrie-t-il en faisant des bulles.

— Mon p... poisson...

— Oui ? Quoi, ton poisson ?

— ... la m... marée noire... »

Mon frère, qui nous a rejoints, fait une drôle de tête. On dirait... qu'il se retient de rire. Ça me met en boule, et du coup, je cesse de bredouiller pour lui rentrer dedans.

« Tu trouves ça marrant, toi, que la marée noire me poursuive jusque dans mon aquarium ?

— Vous en faites, un ramdam, tous les trois ! » dit maman, apparaissant en haut de l'escalier.

En nous voyant, elle ouvre de grands yeux. Il faut dire que nous devons offrir un curieux spectacle, moi en larmes et cramoisie de fureur, Rémi hilare, et papa stupéfait, bavant son dentifrice !

« Je peux savoir de quoi il s'agit ? » demande-t-elle, mi-figue mi-raisin.

D'une voix suraiguë, je couine :

« Y a la marée noire dans mon aquarium, et ça fait rigoler cette andouille de Rémi !

— La marée noire ? articule maman.

— La marée noire, répète papa, qu'est-ce que c'est que cette histoire ?

— Une histoire d'écolo ! » pouffe Rémi.

Et tous trois de se précipiter dans ma chambre... pour s'arrêter, éberlués, devant le globe de verre.

Rien qu'à voir cet horrible jus sombre, je me remets à claquer des dents.

« Mais... que s'est-il passé ? » s'effare papa.

Maman me fixe d'un air soupçonneux :

« Tu as renversé quelque chose dans l'eau, Zoé ?

— Non, rien du tout. C'est la marée noire, je te dis ! LA MARÉE N... »

Un bruit tonitruant couvre la fin de ma phrase. Mon frère, plié en deux, rit à s'en décrocher la mâchoire.

Nous le fusillons tous trois du regard.

« Rémi, l'interpelle maman d'un ton sec, explique-nous ce qui est arrivé à l'aquarium de ta sœur ! »

Entre deux hoquets, Rémi avoue :

« J'ai... mis de l'encre... dedans !

— QUOI ! ? »

Bondissant sur lui comme une furie, je l'attrape au collet et le bourre de coups de poing.

« Ordure ! Pourquoi as-tu fait ça ?

— J'ai voulu te donner une leçon. Ça t'apprendra à jouer les prétentieuses, avec tes histoires de pollution !

— Tu es complètement fou, ma parole !

— Si on ne peut même plus s'amuser... »

Papa se met rarement en colère, mais là, pour une fois, il hausse le ton.

« Tu n'as pas honte, Rémi ? Cette

farce est de très mauvais goût ! Regarde dans quel état tu as mis ta petite sœur... sans parler des risques que tu fais courir au poisson !

— L'encre de stylo, c'est inoffensif ! proteste mon frère.

— Inoffensif peut-être, mais dégoûtant. Tu vas immédiatement me nettoyer ces horreurs ! »

Comme par magie, la bonne humeur de Rémi s'envole.

« Maintenant ? J'ai pas le temps, je vais être en retard au lycée !

— Taratata ! Quand on fait des bêtises, il faut savoir les assumer. Je veux voir cet aquarium impeccable, et que ça saute ! »

J'ai presque fini mon bol de cacao quand mon frère me rejoint dans la cuisine.

« Je n'ai plus que cinq minutes pour

déjeuner », grommelle-t-il en plongeant dans le paquet de céréales.

Je l'examine d'un air moqueur.

« Tu as les mains toutes noires ! Fais attention, tu vas polluer les corn flakes ! »

Et devant sa mine déconfite, c'est à mon tour d'éclater de rire !

Table

Dans la même collection…

Mademoiselle Wiz,
une sorcière particulière.

Mini, une petite fille
pleine de vie !

Fantômette,
l'intrépide
justicière.

Avec le Club des Cinq,
l'aventure est toujours
au rendez-vous.

Kiatovski,
le détective en baskets
qui résout
toutes les enquêtes.

Dagobert,
le petit roi
qui fait tout à l'envers.

Rosy et Georges-Albert,
le duo de choc
de l'Hôtel Bordemer.

Avec Zoé,
le cauchemar devient
parfois réalité.